KB005987

송강스님의

벽암록 맛보기

-4권-

(31칙~40칙)

벽암록 맛보기를 내면서

2021년 초에 불교신문사에서 새로운 연재를 부탁하기에 〈벽암록 맛보기〉라는 제목으로 『벽암록(碧巖錄)』의 본칙(本則)과 송(頌)을 중심으로 1회 1칙씩을 연재하기로 했습니다. 정해진 지면에 맞추다 보니 여러 가지 도움이 될 장치를 생략하게 되었으나, 공부하기에는 크게 부족함이 없었습니다.

불교신문 독자들 가운데 책으로 공부하기를 원하는 분들이 많아서 이제 10칙씩을 묶어 한지제본의 〈벽암록 맛보기〉를 차례로 출판하기로 하였습니다. 불교신문 지면에 실린 내용에다 몇 가지 도움이 될 부분을 더하여 편집의 묘를 살린 것입니다.

참선공부는 큰 의심에서 시작되고, 『벽암록(碧巖錄)』의 선문답은 본체 또는 주인공에 대한 의심을 촉발하기 위한 것입니다. 그러므로 의심을 일으킬 수 있는 정도로 설명은 간략하게 하고 자세한 풀이는 생략했습니다. 너무 자세한 설명은 스스로 의심을 일으키기는 커녕 자칫 다 알았다는 착각에 빠지게 하기 때문입니다.

이 책이 많은 분들에게 큰 의심을 일으킬 수 있는 기회가 된다면 참 좋은 법연(法緣)으로 생각하겠습니다.

2022년 여름 개화산자락에서

시우 송강(時雨松江) 합장

차 례

제31칙

마곡 진석
(麻谷振錫)

마곡이 석장을 흔듦

"본래의 세상은
태평성대의 모습 아니던가"

깨달은 사람은 바다에 노닐고 산에 노닐어
용과 범을 제압할 수 있다

강설(講說)

사람들이 부자유스러운 것은 자신이 일으킨 망상의 그림자 때문이다. 또한 무엇인가를 성취했다고 집착하는 순간 유연성이 사라져 굳어져 버린다. 그럼 화두에 마음을 묶어두고 소위 선정에만 잠겨 있으면 좋을까? 그도 또한 미망의 또 다른 모습일 뿐이다.

본성을 철저하게 찾아 한 점 의심도 남지 않는 경지에 이르러야 비로소 그 무엇에도 걸리지 않게 되는데, 이렇게 되면 큰 바다에 머무는 용처럼 깊은 산에 머무는 범처럼 두려움 없고 용맹한 대장부의 경지에 이르는 것이다.

대장부의 경지에 이른 사람은 기와와 돌멩이에서 빛을 발하게 할 수 있고, 황금도 빛을 잃게 할 수 있다. 사람을 살리는 칼도 자유로 쓰고, 사람을 죽이는 검도 자재하게 쓰는 것이다.

이 경지가 되면 공안이니 화두니 하는 것도 잠꼬대일 뿐이다.

본칙(本則)

擧 麻谷이 持錫到章敬하야 遶禪床三匝
거 마곡 지석도장경 요선상삼잡

하며 振錫一下하고 卓然而立하니 敬云호대
진석일하 탁연이립 경운

是是라하다 雪竇着語云호대 錯이라 麻谷이
시시 설두착어운 착 마곡

又到南泉하야 遶禪床三匝하며 振錫一下
우도남전 요선상삼잡 진석일하

하고 卓然而立하니 泉云호대 不是不是라하다
탁연이립 전운 불시불시

雪竇着語云호대 錯이라 麻谷이 當時에 云호
설두착어운 착 마곡 당시 운

대 章敬은 道是어늘 和尚은 爲什麽道不是
장경 도시 화상 위십마도불시

오 泉云호대 章敬은 卽是어니와 是汝不是니
전운 장경 즉시 시여불시

라 此是風力所轉이니 終成敗壞니라
차시풍력소전 종성패괴

• **석(錫)**

석장(錫杖). 흔히 육환장(六環杖)이라고 하며, 길을 갈 때 여섯 개의 쇠고리가 소리를 내어 짐승이나 곤충 등이 미리 피하게 하는 용도로 쓰였음.

• **요선상삼잡(遶禪床三匝)**

좌선하는 평상 주위를 세 바퀴 돎. 제자들이 부처님께 극진한 예를 갖출 때 부처님 주변을 오른쪽으로 세 번 돌았는데, 여기에서 비롯된 예법으로 선지식에 대한 예를 갖춘 것.

• **진석일하(振錫一下)**

석장을 한 번 바닥에 찍음.

• **탁연이립(卓然而立)**

의젓한 모습으로 서 있음. 뻣뻣하게 서 있음.

• **풍력소전(風力所轉)**

풍력으로 일어난 일. 움직임에 의한 현상적인 일.

이런 얘기가 있다. 마곡스님이 석장을 지니고 장경스님 처소에 이르러 (장경스님이 좌선하는) 선상 주위를 세 바퀴 돌고는 석장을 한 번 내리치고 꼿꼿이 서 있었다.

장경스님이 말씀하셨다. "그렇지, 그래!"

〈훗날 설두스님이 촌평하여 말씀하셨다. "어긋났다."〉

마곡스님이 다시 남전스님의 처소에 이르러 선상 주위를 세 번 돌고는 석장을 한 번 내리치고는 꼿꼿이 서 있었다.

남전스님이 말씀하셨다. "아니지, 아니야."

〈훗날 설두스님이 촌평하여 말씀하셨다. "어긋났다."〉

마곡스님이 그때 여쭈었다. "장경스님은 '그렇지'라고 말씀하셨는데, 스님께서는 무엇 때문에 '아니야'라고 말씀하십니까?"

남전스님이 말씀하셨다. "장경스님은 곧 바르게 하였지만 바로 자네가 옳지 않다네. 이런 것은 바람의 힘에 의한 것인지라 결국 무너지고 만다네."

강설(講說)

여기 마곡이라는 패기만만한 수행자가 있다. 그는 모든 것을 쓸어버릴 듯한 기세로 사형인 장경스님을 찾았다. 우선 사형에 대한 존경을 표하는 뜻에서 사형이 앉아 있는 선상을 세 바퀴 돌았다. 그리고는 자신의 대장부 기상을 보라는 듯이 육환장으로 바닥을 탁 치고는 꼿꼿이 서 있었다.

장경선사는 긍정적인 지도자상을 보여주었다. 그래서 마곡의 장점을 한껏 북돋워주는 모습을 취하고 있다. 마곡의 행위에 대해 인정해주는 듯 "그렇지, 그래!"라고 흔쾌히 말해준 것이다. 하지만 잘 살펴야 한다. 장경스님의 이 긍정적 표현이 얼마나 차가운 것인지를 알아야만 한다.

훗날 설두스님이 여기에 대해 "어긋났다."고 촌평을 했다. 설두스님은 누굴 향해 무엇이 어긋났다고 한 것일까?

장면이 바뀌어 남전스님의 처소에 마곡이 나타났다. 남전스님에게도 장경스님의 처소에서 했던 그대로를 보여주었다. 그랬더니 남전스님은 "아니지, 아니야!"

라고 부정해 버렸다. 남전스님은 냉철한 지도자상이다. 어설프게 넘어가는 분이 아니다.

훗날 설두스님이 여기에 대해서도 "어긋났다."고 촌평을 했다. 설두스님이 이번엔 또 누굴 향해 무엇이 어긋났다고 한 것일까?

마곡이 남전스님에게 따지고 들었다.

"장경스님은 '그렇지, 그래!'라고 하셨는데, 어째서 스님은 '아니지, 아니야!'라고 하는 것입니까?"

마곡의 공부가 어느 정도인지를 보여주는 대목이다. 아무리 단 과일이라도 익기 전에는 쓰거나 싱거운 법이다.

마곡이 따지자 남전스님은 핵심을 찌르는 답을 하셨다. "자네는 장경스님의 말도 못 알아듣고 내 말도 못 알아듣는구나. 자네의 그 따위 행위는 외형적인 움직임의 모습 아닌가? 설마 그걸 진짜라고 우기려는 건 아니겠지?"

이 답을 보면 남전스님은 얼마나 따뜻한 지도자인지를 알 수 있을 것이다.

공부하는 사람이라면 설두스님이 지적한 '어긋났다'는 것을 잘 살펴야만 할 것이다.

송(頌)

此錯彼錯을 切忌拈却이라
차 착 피 착 절 기 념 각

四海浪平하고 百川潮落이로다
사 해 랑 평 백 천 조 락

古策風高十二門이요
고 책 풍 고 십 이 문

門門有路空蕭索이라
문 문 유 로 공 소 삭

非蕭索이여 作者好求無病藥이니라
비 소 삭 작 자 호 구 무 병 약

- **차착피착(此錯彼錯)**

  설두스님이 본칙에 붙인 착어에서 장경선사의 말씀에 '어긋났다'고 한 것(此錯)과 남전선사의 말씀에 '어긋났다'고 한 것(彼錯).

- **염각(拈却)**

  염제(拈提), 염고(拈古), 염기(拈起)와 같은 뜻. 즉 옛사람의 언행에 대해서 거론하거나 비판하는 것.

- **백천조락(百川潮落)**

  모든 하천의 조수는 흘러내려감. 모든 강물은 바다로 흘러감.

- **고책풍고십이문(古策風高十二門)**

  옛 지팡이(주장자)의 풍모가 열두 대문보다 드높음. 열두 대문은 천자나 제석천의 궁궐을 가리키는 것이니, 주장자가 가리키는 바를 깨닫는 것이 어떤 지위에 오르는 것보다 더 귀하다는 것.

- **공소삭(空蕭索)**

  텅 비고 적막함.

- **무병약(無病藥)**

  스스로 깨달았다고 생각하거나 또는 무심에 빠져 있는 자를 위한 약.

이번의 어긋남과 저번의 어긋남을 절대 거론하지 말라.

온 바다 물결은 고요하고 모든 강물은 바다로 흐르네.

옛 주장자의 풍모는 궁궐의 열두 대문보다 드높은데,

모든 문마다 다 길이 있으니 텅 비어서 적막하도다.

적막하지 않음이여!

선지식이라면 병이 없는 약을 잘 구해야만 하리로다.

강설(講說)

때로는 언어 문자가 가장 어설프다. 핵심을 분명하게 드러내지 못할 경우라면, 그냥 가만 두는 것이 더 좋을 때가 있다. 부처님께서 고해(苦海)를 말씀하신 본뜻이 본래 적정(寂靜)한 세계를 드러내기 위함이었지만, 사람들은 그저 괴로움에만 집착하고 마는 것이다. 바다 고요하고 강물은 흘러가듯, 본래의 세상은 태평성대의 모습 아니던가.

자기 주장자의 풍모를 알고자 하는가? 그건 너무나 드높은지라 제왕의 자리로서도 견줄 바가 아니다.

주장자의 모습을 본 사람이라면 본래 한 물건 없다는 도리를 의심치 않을 것이며, 깨달음이 적정하다는 그 이치도 수긍할 것이다.

아차! 잘못되었다. 본래 한 물건 없다고 하고, 적정하다고 한 도리마저도 또 어긋나게 받아들이겠구나. 무심의 도깨비굴에도 빠지지 말 것이며, 차가운 석불(石佛)처럼 되는 것은 더더욱 아니다.

시끌벅적한 시장골목에서 석가와 달마가 주장자 홍정하기에 바쁘다.

제32칙

임제 일장
(臨濟一掌)

임제선사께서
한 대 치심

"입에 밥 넣어줘도 씹어 맛을
보지 못하면 산송장일 뿐"

한겨울 긴 밤을 새우고도 임제선사를 만나지 못한다면
언제 다시 만나랴!

강설(講說)

아무리 존귀한 이라도 끌려가지 말고, 아무리 귀한 것이라도 손 내밀어 구하지 말라. 그럴 수 있다면 문득 일체를 있는 그대로 볼 수 있게 될 것이다. 말이나 행위가 늘 핵심을 가리킬 수 있어야만 온갖 시끄러움을 잠재울 수 있을 것이다. 과연 그대는 지금 그럴 수 있겠는가?

■ 임제 의현(臨濟義玄, ? ~867) 선사는 당대(唐代) 선승으로 임제종의 개조(開祖)이시다. 황벽(黃檗) 선사의 법제자로 하북성 정정현(正定縣)에 임제원(臨濟院)을 세우고 주석하여 후학을 지도하면서 그 선풍을 드날리셨다.

깨달음의 기연은 이렇게 전한다.

황벽선사의 문하에 있으면서 3년 동안 묵묵히 좌선만을 하고 있었는데, 선원을 책임지고 있던 수좌(首座)소임의 목주(睦州)스님이 방장인 황벽선사를 찾아뵙고 '불법의 대의가 무어냐'고 물어보라고 권했다. 방장실에 들어가 같은 질문을 세 번 했으나 세 번 다 주장자

로 얻어맞았다. 인연이 없다고 생각해 황벽선사께 하직인사를 드리니, 황벽선사가 고안탄(高安灘)에 주석하는 대우선사를 찾아가라고 일러주었다.

대우스님께 인사를 여쭈니 곧바로 질문을 하였다.

"황벽스님이 어떻게 너를 가르치더냐?"

"가르쳐주기는커녕 '불법의 대의가 무어냐'고 세 번 물었다가 세 번 다 매만 맞았습니다. 제가 무엇을 잘못했습니까?"

"황벽스님이 너를 위해 온갖 자비를 베풀었거늘, 그것도 모르고 무슨 잘못이 있느냐고 묻다니, 이런 멍청한 놈!"

그 순간 의현스님은 불법의 대의를 깨닫고는 한 마디 했다.

"황벽스님의 불법이 별것 아니었구나."

대우스님이 의현스님의 멱살을 잡고 다그쳤다.

"이런 오줌싸개 같은 놈! 조금 전까지 뭐가 뭔지도 몰라서 쩔쩔매던 놈이 황벽스님의 불법이 별것 아니라니! 뭘 알았느냐 빨리 말해 봐!"

의현스님이 대우선사의 옆구리를 세 번 쥐어박자, 대

우스님이 말씀하셨다.

"너의 스승은 황벽스님이니, 돌아가도록 해라."

다시 돌아온 의현스님이 황벽선사께 인사를 올리자, 선사께서 꾸중을 하셨다.

"이렇게 왔다 갔다 하다가 언제 깨닫겠느냐?"

"스승님의 은혜에 감사드립니다."

그러고는 대우스님을 뵈었을 때의 일을 설명하니, 황벽선사께서 말씀하셨다.

"대우 늙은이가 쓸데없는 짓을 했구나. 다음에 보면 가만두지 않겠다."

"다음까지 기다릴 게 뭐 있습니까."

의현스님이 갑자기 황벽선사의 뺨을 한 대 갈기자, 황벽선사께서 호통을 쳤다.

"이 미친놈! 겁도 없이 호랑이 수염을 잡아당기다니."

그러자 의현스님이 고함을 빽 질렀고, 황벽선사가 시자에게 지시했다.

"이 미친놈을 선방으로 끌고 가라."

■ 정상좌(定上座)에 대한 특별한 자료는 없고, 다음과 같은 일화가 전한다.

암두, 설봉, 흠산스님이 입적하신 임제선사에 대한 일화를 들려달라고 청했다. 정상좌가 다음의 일화를 들려주었다.

"선사께서 어느 날 대중에게 물었습니다. '몸 안에 무위진인(無位眞人-절대자유인)이 있어 모든 사람들의 얼굴을 통해 출입하고 있다. 아직 깨닫지 못한 이들은 잘 살펴보라.' 그때 어떤 스님이 나와서 물었습니다. '어떤 것이 무위진인입니까?' 임제선사께서 대뜸 그 스님의 멱살을 잡고는 다그쳤습니다. '말해봐라, 말해봐.' 그 스님이 머뭇거리자 선사께서는 밀쳐버리며, '무위진인이 무슨 똥 덩어리냐.' 라고 말씀하신 후 곧 방장실로 돌아가 버렸습니다."

흠산스님이 말했다.

"왜 무위진인이 아니라고 말하지 않았을까요?"

정성좌가 흠산스님의 멱살을 잡고 다그쳤다.

" '무위진인'과 '무위진인 아닌 것'이 어떻게 다른 가? 빨리 말해라, 빨리."

흠산스님은 아무런 말도 못 하고 얼굴이 붉으락푸르락하였다. 암두스님과 설봉스님이 절을 올리며 말했다.

"이 신출내기가 좋고 나쁜 것도 모르고 상좌께 대들었으니, 바라건대 자비로 용서해 주시구려."

정상좌가 말했다.

"두 분 어르신이 아니었다면 이 오줌싸개 같은 놈을 요절냈을 겁니다."

본칙(本則)

擧 定上座問臨濟호대 如何是佛法大意
거 정 상 좌 문 임 제 여 하 시 불 법 대 의

닛고 濟下禪床擒住하야 與一掌하고 便托
제 하 선 상 금 주 여 일 장 변 탁

開하니 定佇立이어늘 傍僧云호대 定上座何
개 정 저 립 방 승 운 정 상 좌 하

不禮拜오 定이 方禮拜타가 忽然大悟하다
불 예 배 정 방 예 배 홀 연 대 오

이런 얘기가 있다.

정상좌가 임제선사께 여쭈었다. "어떤 것이 불법의 핵심입니까?"

임제선사가 선상에서 내려와 (정상좌의) 멱살을 잡아 뺨을 한 대 갈기고는 확 밀쳐버렸다.

정상좌가 멍하니 서 있으니까 곁에 있던 스님이 일러주었다. "정상좌, 어찌 예배하지 않는가?"

정상좌가 바야흐로 예배하다가 갑자기 크게 깨달았다.

강설(講說)

상좌(上座)란 선원의 윗자리에 앉는 수행자이다. 이런 정상좌가 "무엇이 불법의 핵심입니까?"라고 묻다니 참으로 답답한 노릇 아닌가. 불법의 핵심도 모르는 사람이 어른의 자리에 있다니. 쯧쯧! 하긴 이런 일이 하도 많다 보니 어쩌겠는가.

불법의 핵심이 뭐냐고? 임제선사께선 확실한 방법으로 알려주셨다. 냅다 갈겨버린 것이다. 얻어맞고도 모른다면 어쩔 도리가 없는 게지.

너무 친절했던 겐가? 넋을 놓고 있다니. 그때 친절한 이가 있어 손을 잡아주는구나. "자네, 왜 절을 하지 않나?"

임제선사가 허깨비를 높은 자리에 두지는 않았구먼. 그래도 절을 하다가 불법의 핵심을 깨닫다니.

송(頌)

斷際全機繼後蹤하니
단 제 전 기 계 후 종

持來何必在從容이리오
지 래 하 필 재 종 용

巨靈擡手無多子라
거 령 대 수 무 다 자

分破華山千萬重이로다
분 파 화 산 천 만 중

- **단제(斷際)**

  당(唐) 선종(宣宗)황제가 황벽선사께 내린 시호.

- **전기(全機)**

  황벽선사의 모든 선기(禪機).

- **후종(後蹤)**

  후계자. 즉 황벽선사의 후계자인 임제선사. 임제선사도 스승 황벽선사에게 '불법의 대의가 무엇입니까?'하고 세 번을 물었지만 세 번을 다 얻어맞았듯이, 제자인 정상좌에게도 같은 지도법을 사용하였음.

- **▶지래(持來)**

  스승 황벽의 선기를 제자 임제가 고스란히 다 가져와서.

- **종용(從容)**

  침착하고 부드러운 모습. 유연한 모습.

- **거령(巨靈)**

  중국 고사(故事)에 나오는 거령신(巨靈神). 대화산을 손으로 쪼개 화산(華山)과 수양산(首陽山)으로 만들고, 그 사이로 황하가 흘러 동쪽으로 가게 함으로써 수해를 줄였다고 함.

- **무다자(無多子)**

  손쉽게, 단번에. 뒤의 구절을 받는 부사.

단제선사의 모든 선기 뒷사람 이었으니,
물려받은 그 솜씨 어찌 점잖게 두겠는가.
거령신 같은 임제선사 손을 들어 단숨에
화산처럼 겹겹이 쌓인 무명 쪼개 버렸네.

강설(講說)

백장-황벽-임제선사로 이어지는 지도법은 드세기 그지없다. 아차 하면 목숨을 잃는다. 그러니 아끼던 목숨을 내놓을 수 있는 자만이 진짜 보물을 얻는다.

사실 황벽선사와 임제선사의 자비는 입안에 밥을 넣어주는 수준이다. 그런데도 씹어 맛을 보지 않는 놈이라면 산송장이랄 수밖에 없다.

무량한 세월 동안 두텁게 쌓인 무명이 너무 두꺼워서 어지간한 솜씨로는 그 안의 보물을 찾아내기 어렵다. 그러나 임제선사의 솜씨는 가공할 위력을 지녔다. "불법의 대의가 무엇입니까?"라고 묻는 제자에게 바로 무명의 산을 쪼개어 여의주를 안겨주었으니, 거령신이 대화산을 쪼개는 솜씨보다 한 수 위라고 하겠다.

제33칙

자복 원상
(資福圓相)

자복선사의
일원상

"모든 사람들과 온 세상이 본래
공평무사하도다"

한겨울 산자락에서 햇빛을 마주 대하여 촬영한 것.
자, 무엇이 보이는가!

강설(講說)

사람들은 자기 깜냥대로 경전을 해석하고 부처님과 조사님들을 평가한다. 법문을 들어도 그저 표현된 말을 자신의 분별로 이러쿵저러쿵 따질 뿐, 말로는 표현할 수 없는 그 핵심은 파악하지 못한다. 그래서 때로는 칭찬을 하다가 또 때로는 혹평을 하기도 한다. 하지만 칭찬한다고 고귀해지거나 혹평을 한다고 낮아지는 것이 아니다. 평가라는 것은 자신들의 분별에 불과하기에, 경전이나 선지식과는 아무 상관이 없는 것이다. 산의 초입에 도달한 사람이 아직 가보지도 않은 산의 정상에 대해 좋으니 나쁘니 하는 것은 산의 실상이 아니라 평가하는 사람의 수준일 뿐이다.

사람들은 주변 인물들이 자신을 골탕 먹인다고 욕하기도 하고, 때를 잘못 만났다고도 투덜댄다. 하지만 잘못 보고 잘못 알고 있다. 옳고 그름과 좋고 나쁨이 어떻게 일어났다가 사라지는지를 모른다면, 어떤 사람과 있어도 욕할 것이고 어떤 세상에 있어도 불만만 가득할 것이다.

그 모든 것의 근본을 깨달아야 한다. 스스로 그 깨달

음의 경지에 이르면 팔만대장경이 자기의 손금처럼 분명해질 것이며, 부처님과 선지식의 갖가지 모습이 '한결같은 모습'이었음을 알게 될 것이다. 아울러 모든 사람들과 온 세상이 본래 공평무사(公平無私)한 것이었음도 보게 될 것이다.

■ 자복(資福)선사는 강서성(江西省) 길주(吉州) 자복사(資福寺)에 주석하셨던 여보(如寶)화상이다. 생몰연대는 알 수 없고, 앙산 혜적(仰山慧寂, 803~887)선사의 제자인 서탑 광목(西塔光穆)선사의 법을 이었다.

■ 진조(陳操)는 송대(宋代)의 거사로 생몰연대는 알 수 없고, 벼슬은 상서(尙書)에 이르렀다. 목주(睦州)에서 자사(刺史)를 맡고 있을 때, 용흥사(龍興寺)의 목주 도명(睦州道明)선사를 모시고 공부하다가 깨달음을 인정받았다.

본칙(本則)

擧 陳操尙書看資福하니 福見來하고 便
거 진조상서간자복 복견래 변

劃一圓相이어늘 操云 弟子恁麽來도 早
획일원상 조운 제자임마래 조

是不着便이온 何況更劃一圓相이닛고 福
시불착편 하황갱획일원상 복

便掩却方丈門하다
변엄각방장문

雪竇云 陳操只其一隻眼이로다
설두운 진조지기일척안

- **일원상(一圓相)**

  하나의 원상. 허공에 둥근 원을 그리는 것은 선의 핵심을 간결하게 표현하는 방법임. 앙산선사가 후학을 지도할 때 자주 사용함.

- **불착편(不着便)**

  핵심에서 어긋남.

- **일척안(一隻眼)**

  (1) 애꾸눈, 외눈. (2) 탁월한 안목.

이런 얘기가 있다. 진조상서가 자복선사를 방문하였다.

자복선사는 (진조상서가) 오는 것을 보고 곧 바로 일원상을 그렸다.

진조거사가 말하였다.

"제자가 이렇게 온 것도 이미 이것이 어긋난 것인데, 어찌 게다가 다시 일원상을 그리시는 것입니까?

자복선사가 바로 방장실의 문을 닫아 버렸다.

〈뒷날 설두선사가 말하였다. "진조는 다만 외눈만을 가졌다."〉

강설(講說)

안목이 열린 사람들끼리는 눈 한 번 껌벅이고 손 한 번 드는 것이 그대로 마음의 소통이 되는 것이다. 그러니 시끌벅적하게 설명하지 않더라도 그냥 통한다. 이심전심의 사람들은 서로 보고 씩 웃으면 되는 것이다.

그렇기는 하지만 곁에서 보는 사람들은 이심전심의 그 행위가 답답하게 느껴질 수 있다. 그것을 해소해 주려다 보면 때로는 지나치게 친절하여 뱀 다리를 그리기도 하고, 또는 설명해봐야 소용이 없다고 해서 너무 인색하다 보니 학을 그리면서 다리를 생략하여 이상한 물건으로 만들어버리기도 한다.

진조거사가 자복선사를 방문하는데, 자복스님께서 일원상을 허공에 그려보였다. 참으로 멋진 환영 아닌가. 이 멋진 환영에 대해 화답을 하느냐 아니면 손사래를 치느냐 하는 것은 손님의 몫이다. 진조거사는 우선 자신의 행위도 이미 작위적인 것이라 본질에서 벗어났는데 어찌 일원상까지 그리시냐고 통을 주었다. 이게 아랫사람에게 가르치는 것이었다면 그런대로 먹혔을 수도 있었겠다. 그런데 상대는 주고 뺏는 것을 자유자

재로 하는 자복선사였다. 진조거사의 의중을 파악한 자복선사가 당신의 방문을 곧바로 닫아버렸다.

아차! 진조가 제법 아는 체 했다마는 자유자재한 자복선사의 경지에는 아직 까마득하니, 결국 방장실의 문을 열지 못하고 마는구나.

송(頌)

團團珠遶玉珊珊이여
단 단 주 요 옥 산 산

馬載驢馳上鐵船이라
마 재 려 타 상 철 선

分付海山無事客하야
분 부 해 산 무 사 객

釣鼇時下一圈攣이로다
조 오 시 하 일 권 련

〈雪竇復云 天下衲僧跳不出이니라〉
설 두 부 운 천 하 납 승 도 불 출

- **단단(團團)**

  (1) 둥근 모양. (2) 둥근 달을 가리키는 말. (3) 이슬이 둥글게 맺혀 있는 모양.

- **산산(珊珊)**

  허리에 찬 패옥(佩玉)이 서로 부딪쳐 울리는 소리.

- **권련(圈攣)**

  자라나 거북이 등을 잡을 때 목을 조여 잡는 도구. 올가미.

둥근 구슬 둥글둥글 맑은 옥은 짤랑짤랑,
말에 싣고 나귀에 싣고 무쇠 배에 실었네.
바다와 산의 일없는 객에게 나누어 주어,
큰 자라 낚을 때 한 올가미로 쓰게 하네.

〈설두스님이 다시 말씀하셨다. "천하의 수행승들 뛰어도 벗어나지 못하리."〉

송(頌)

둥근 구슬 둥글둥글 맑은 옥은 짤랑짤랑,
말에 싣고 나귀에 싣고 무쇠 배에 실었네.

강설(講說)

세상의 영롱한 옥구슬을 다 모아놓아도 그 빛남이 자복선사의 일원상에는 비길 수 없고, 옥구슬 짤랑거리는 소리가 제아무리 아름다워도 그 맑음이 자복선사의 일원상에는 한참 미치지 못한다. 이런 일원상을 누가 자재하게 쓸 수 있단 말인가. 말에도 싣고 나귀에도 싣고 무쇠 배에도 실을 줄 아는 솜씨라야 한다. 그러니 아무나 할 수 있는 일이 아니다. 진조상서와 같은 인물도 깜빡 홀리고 마는 것을.

송(頌)

바다와 산의 일없는 객에게 나누어 주어,
큰 자라 낚을 때 한 올가미로 쓰게 하네.

강설(講說)

모든 일을 다 마치고 더 이상 할 일이 없어진 경지의 나그네에게 일원상을 나누어준다고 하니 참으로 웃기는 소리다. 일없는 나그네가 무엇을 받고 말고 할까 보냐. 그 도리를 설두선사도 잘 알지만 후학을 위한 노파심으로 표현한 말이 그렇다는 것이지. 하긴 일없이 한가로운 이라야 자복선사의 그 경지를 단번에 알아볼 수 있지.

큰 자라가 어디에 있는가? 부처 뽑는 시험장에 장원급제한 자를 찾아보라. 올가미에 자라가 걸린 것인가 아니면 자라가 올가미를 취한 것인가. 그 모든 것을 넘어서야 자복선사의 몽둥이를 피할 수 있을 것이다.

송(頌)

〈설두스님이 다시 말씀하셨다. "천하의 수행승들 뛰어도 벗어나지 못하리."〉

강설(講說)

설두 노인네의 자비심은 알아줘야 한다. 한 사람이라도 일원상을 보게 하려고 이리도 애를 쓰시는구나. 그러나 말에 놀아나지는 말 것.

제34칙

앙산 오로봉
(仰山五老峰)

앙산선사의
오로봉

"당신은 어디에서 왔는가…
지금 어디에 서 있는가…"

룸비니 연못가의 나무.
룸비니에 갔었다면 싯다르타를 만났는가!

■ 앙산 혜적(仰山慧寂, 803~887)선사는 당대의 걸승으로 앙산에 주석하였기에 앙산(仰山)이 법호가 되었다. 소주(韶州) 출신으로 17세에 출가하면서 손가락 두 개를 자르며 서원을 세우고 삭발하였다. 탐원 응진(耽源應眞)선사와 위산 영우(潙山靈祐)선사의 지도를 받았으며, 위산선사의 법을 이었다. 위산선사와 앙산선사를 잇는 선종(禪宗)을 위앙종(潙仰宗)이라고도 한다. 원주(袁州)의 대앙산(大仰山)에 오래 주석하셨고, 동평산(東平山)에서 입적하셨다.

본칙(本則)

擧 仰山問僧호대 近離甚處오 僧云 廬山
거 앙산문승 근리심처 승운 여산

이니이다 山云曾遊五老峰麽아 僧云不曾
산운증유오로봉마 승운부증

到니다 山云闍黎不曾遊山이로다 雲門云
도 산운사리부증유산 운문운

此語皆爲慈悲之故로 有落草之談이로다
차어개위자비지고 유낙초지담

- **근리심처(近離甚處)**

  최근에 어디를 떠나 왔는가? "어디서 왔는가?"하고 선지식이 후학에게 흔히 묻는 인사이기도 하고, 그의 경지를 살피는 것이기도 함.

- **여산(廬山)**

  중국 불교에서 염불(念佛)과 선(禪)의 대가들이 주석했던 곳으로 유명한 곳임.

- **오로봉(五老峰)**

  다섯 노인이 서 있는 것 같다고 붙여진 이름으로, 풍광이 아름다운 여산에서도 가장 유명한 곳임. 여산의 핵심이라는 상징성으로 언급한 것.

- **사리(闍黎)**

  범어 아짜르야(Acarya)에서 온 말. 보통 아사리(阿闍利)라고 함. 스님이라는 뜻.

- **낙초(落草)**

  입초(入草)라고도 함. 여기서 초(草)는 세속적 세계를 뜻하며, '낙초(입초)'란 자비로 세속적 세계에 들어가 중생을 제도하는 것을 뜻함. 반대로 출초(出草)라고 하면 세속적 세계에서 벗어나는 것을 뜻함. 출초입초(出草入草)라고 하면 선지식의 자유자재한 경지를 뜻함.

이런 얘기가 있다.

앙산선사가 어떤 스님에게 물었다. "최근에 어느 곳을 떠나왔는가?"

스님이 답하였다. "여산입니다."

앙산선사께서 말씀하셨다. "오로봉에는 가 봤는가?"

스님이 답하였다. "가 보지 못했습니다.

앙산선사께서 말씀하셨다. "스님은 산엘 가 보지 못했군."

(뒷날) 운문선사께서 이르셨다.

"(앙산선사의) 이 말씀들은 다 자비로 위하는 까닭에 상대의 경계에 맞춘 말을 하게 된 것이다."

강설(講說)

선지식들은 흔히 이렇게 묻는다. "자네 어디에서 오는가?" 여기서 '어디'라고 하는 것은 받아들이는 사람에 따라 달라진다. 하나의 장소가 되기도 하고, 아니면 어떤 경지가 되기도 하는 것이다.

앙산선사께서도 그 흔한 방법을 사용하셨다. 그러자 돌아온 답이 '여산'이었다. 여산은 상징적인 곳일 수도 있고, 그냥 지명으로서의 여산일 수도 있다. 앙산선사를 찾아온 스님은 상징적인 여산을 말하고 있지는 않다. 이걸 모르실 앙산선사가 아니다. 그러나 앙산선사는 한 번의 기회를 더 베풀고 있다. "그럼 여산에서 가장 경치가 빼어난 오로봉에 가 봤는가?" 찾아온 스님은 여전히 깜깜하다. "못 가 봤습니다."

앙산선사는 답답하다는 듯이 마무리를 짓고 있다.

"여산에서 왔다면서 여산을 알지도 못하는구먼!"

자! 이 여산이 무엇일까?

뒷날 운문선사는 앙산선사의 친절에 대해 이렇게 평했다.

"선사께서 그토록 낮추면서 기회를 주었는데도 참 답답한 친구로구먼!"

이쯤에서 심각하게 살펴봐야 한다.

'나는 어디에서 왔는가?'

'나는 지금 어디에 서 있는가?'

'대체 나는 누구인가?'.

송(頌)

出草入草하니 誰解尋討리오
출 초 입 초　수 해 심 토

白雲重重하고 紅日杲杲로다
백 운 중 중　홍 일 고 고

左顧無瑕러니 右盻已老로다
좌 고 무 하　우 혜 이 로

君不見가 寒山子가 行太早라
군 불 견　한 산 자　행 태 조

十年歸不得하니 忘却來時道로다
십 년 귀 부 득　망 각 래 시 도

- **심토(尋討)**

  깊이 살펴 찾음.

- **무하(無瑕)**

  결점이 없음. 오로봉의 흠잡을 수 없는 경치.

- **이로(已老)**

  너무나 노련함. 오로봉의 원숙한 모습. 로(老)는 오로봉과 연관됨.

- **한산자(寒山子)**

흔히 '한산(寒山)'이라고 칭함. 중국 당대 7세기 말~9세기 초의 인물로 천태산의 바위굴 속에서 살았던 인물. 그의 시를 선시(禪詩)라 하여 스님들이 특히 좋아함. 송의 마지막 두 구절은 바로 한산자의 시에서 인용한 것임.

- **행태조(行太早)**

재빨리 가 버렸다. 이것은 다음 일화를 가리키는 듯함.

국청사(國淸寺)의 풍간(豐干)선사는 버려진 한 아이를 데려와 키웠고, 이름을 습득(拾得)이라고 했다. 이 습득이는 국청사의 허드렛일을 하며 지냈는데 천태산의 한산(寒山)과 절친했으며, 풍간선사도 이 둘을 아꼈다. 일반인의 눈에는 비록 미친 듯 실성한 듯 보였으나 지혜로운 이들은 둘의 비범함을 알고 있었다. 어느 날 지사(知事) 여구윤(閭丘胤)이 풍간선사에게 두 사람을 만나게 해달라고 졸랐다. 풍간선사가 지사를 데리고 공양간에 있던 두 사람에게로 갔는데, 한산과 습득은 지사의 모습을 보자마자 박장대소하며 천태산 동굴 속으로 들어가 다시는 내려오지 않았다.

세간 벗어나는지 세간에 들어가는지,
뉘라서 깊이 찾아 살필 줄 알겠는가.
흰 구름은 겹겹이 펼쳐졌고,
붉은 해는 환하게 빛나도다.
왼쪽으로 돌아보니 흠잡을 수 없고,
오른쪽으로 보니 너무나 노련하다.
그대는 알지 못하는가.
한산자가 잽싸게 가 버렸음을.
십 년 되도록 돌아가질 못하니,
왔던 때의 길을 잊어버렸구나.

강설(講說)

선지식의 지도법은 낮추는 듯 높이고, 높이는 듯 낮춘다. 그것을 과연 누가 정확히 알아볼 수 있단 말인가. 참으로 어려운 일이다. 그러나 그걸 간파할 정도의 안목이라야 비로소 상대할 만하지 않겠는가.

오로봉의 경치는 가보지 않은 사람은 알 수가 없다. 흰 구름 겹겹이기도 하고, 붉은 해가 밝고 밝게 비치기도 한다. 정말 오로봉에 이르고 보면 왼쪽으로 돌아보고 오른쪽으로 살펴봐도 한 점 흠이 없이 완벽하다는 것을 알 것이다.

무엇이 선(禪)의 경지인가?

한산은 늘 습득과 더불어 미친 사람처럼 살았다. 그러나 그를 세속적인 잣대로 재려고 해서는 이미 어긋났다. 그가 천진불(天眞佛)이었는지 실성한 사람이었는지 누가 알겠는가. 그를 만나 대적해 보려는가? 어림도 없다. 그의 그림자도 잡을 수 없다. 그가 남긴 시를 들어보게나.

"다시는 돌아갈 뜻도 없나니, 왔던 길마저도 이미 잊어버렸다네."

제35칙

전삼삼후삼삼
(前三三後三三)

앞도 삼삼
뒤도 삼삼

"범부와 성인 함께 살고
용과 뱀 섞여 있는 경지라…"

사십이수관음상(四十二手觀音像).
왜 이렇게 많은 손과 도구를 표현한 것인가.

강설(講說)

세상은 혼돈이다. 용과 뱀이 섞여 있고, 옥과 돌이 함께 있으며, 검은 것과 흰 것이 뒤섞이고, 기다려야 할 것과 곧바로 결정해야 할 것이 같이 있는 것이다. 자! 이것을 가리려면 특별한 지혜의 안목과 특출한 능력을 갖춰야 한다. 만약 그렇지 못하다면 어떻게 될까? 늘 혼란스럽고 괴로울 것이다.

만약 스스로 밝게 보고 들을 수만 있다면 지금 눈앞에 있는 모든 것이 본래의 모습이라는 것과 참되다는 것을 알리라.

자, 어떠한가? 눈앞의 것이 검은 것인지 흰 것인지를 가릴 수 있겠는가? 지금 보고 듣는 것이 굽은 것인지 곧은 것인지를 구분하겠는가? 과연 지금 눈앞의 삶을 어떻게 받아들이는가!

■ 무착 문희(無着文喜, 821~900) 선사는 당대(唐代)의 스님으로 앙산 혜적(仰山慧寂)선사의 제자이다. 7세에 출가하여 계율과 교학을 공부하였고, 문수보살을 직접 만나길 발원하였다. 30대 초반에는 직접 오대

산을 방문하여 문수보살의 화현을 만나 대화를 하였으나 당시는 문수보살을 알아보지 못하였고, 862년 홍주 관음원에서 앙산선사의 지도로 깨달았다고 한다.

무착스님은 깨달은 뒤 대중들의 공양을 짓는 공양주를 자청하였다. 어느 날 죽을 끓이는데 자욱하게 김이 솟는 가운데 문수보살의 화현이 나타나서 자기가 문수라고 하였다. 무착스님은 죽을 끓이는 데 방해되니까 비키라고 하였다. 공중의 화현이 "나는 자네가 그토록 만나길 원하는 바로 그 문수라네."라고 하며 비키지 않았다. 무착스님은 "문수면 문수지 나 무착하고 무슨 상관이야!"라며 주걱을 휘두르니, 문득 화현이 사라졌다고 한다.

본칙(本則)

擧 文殊問無着호대 近離什麽處오 無着
거 문 수 문 무 착 근 리 십 마 처 무 착

云 南方이니이다 殊云 南方佛法如何住
운 남 방 수 운 남 방 불 법 여 하 주

持오 着云 末法比丘少奉戒律이니이다 殊
지 착 운 말 법 비 구 소 봉 계 율 수

云 多少衆고 着云 或三百 或五百이니이다
운 다 소 중 착 운 혹 삼 백 혹 오 백

無着問文殊호대 此間如何住持닛고 殊云
무 착 문 문 수 차 간 여 하 주 지 수 운

凡聖同居요 龍蛇混雜이오 着云 多少衆
범 성 동 거 용 사 혼 잡 착 운 다 소 중

고 殊云 前三三 後三三이오
수 운 전 삼 삼 후 삼 삼

- **문수(文殊)**

  문수보살. 이 대화를 할 때 무착스님의 눈에는 노인의 모습이었기에 정확하게는 '노인'이라고 해야 되지만, 공부하는 사람들이 알기 쉽도록 '문수'라고 표현한 것임.

- **십마(什麽)**

  중국어에서 '무엇' '어디' 등의 뜻.

- **남방(南方)**

  오대산은 중국의 불교성지 중에서 북쪽에 위치하기에 무착스님이 남방에서 왔다고 한 것임.

- **주지(住持)**

  부처님의 가르침을 보존하고 유지함.

- **말법(末法)**

  말법시대의 줄인 말. 부처님의 바른 가르침이 유지되던 시대로부터 아주 멀리 떨어진 시절.

- **비구(比丘)**

  모든 계를 다 받고 정식 수행자가 된 남자 스님.

- **다소(多少)**

  얼마, 몇.

- **차간(此間)**

  이곳. 오대산.

이런 얘기가 있다.

문수보살께서 무착스님에게 물었다. "최근에 어느 곳을 떠나서 오셨소?"

무착스님이 답하였다. "남쪽 지방입니다."

문수보살께서 물었다. "남방에서는 부처님 가르침이 어떻게 유지되오?"

무착스님이 답했다. "말법시대의 비구들이 조금은 계율을 지키려 노력합니다."

문수보살께서 물었다. "대중이 얼마나 되오?"

무착스님이 답했다. "혹은 삼백 정도 혹은 오백 정도입니다."

무착스님이 문수보살께 물었다. "이곳은 어떻게 유지됩니까?"

문수보살께서 답했다. "범부와 성인이 함께 살고, 용과 뱀이 뒤섞여 있다오."

무착스님이 물었다. "대중이 얼마나 됩니까?"

문수보살께서 답했다. "앞도 삼삼, 뒤도 삼삼."

강설(講說)

무착스님은 머나먼 길을 마다치 않고 문수보살께서 머무는 곳으로 알려진 오대산에 가서 문수보살을 친견하길 원했다. 그 기도가 참으로 간절하였기에 문수보살께서 노인으로 변신하여 무착스님을 만나주었다. 하지만 무착스님은 그저 기이한 노인 정도로만 알았다. 하룻밤 대화를 나누고 떠나면서 돌아보니 노인도 절도 사라지고 없었다. 후인들은 이곳을 '금강굴(金剛窟)'이라고 했다. 우리나라 지리산에도 금강굴이 있다고 하는데, 눈 밝은 스님에게만 보이는 감춰진 비밀의 장소라고 전해진다. 그 금강굴은 어디에 있는 것일까?

무착스님은 아직 깨닫지를 못하여 지혜의 안목을 갖추질 못했다. 비록 오대산까지 문수보살을 친견하려 힘들게 갔었고, 비록 화현이긴 하지만 문수보살과 마주 대하고 있다. 그러나 어쩌겠는가. 무착스님에게는 이때까지도 그저 기억되는 것과 보이는 겉모습만이 전부이니 말이다.

문수보살은 계속해서 근본에 대한 질문을 하고 있지

만 무착스님은 그저 현상적인 대답만 하고 있다. 장소나 교학 또는 계율은 말할 것도 없고 대중이니 범부니 성현이니 하는 따위도 근본자리와는 거리가 멀다.

무착스님의 질문을 기회로 문수보살께서는 직접적으로 분별의 경계가 참 보잘것없는 것임을 일깨워 주려 하셨다. 하지만 어쩌겠는가. 아직은 때가 아닌 것을. "범부와 성인이 함께 살고, 용과 뱀이 섞여 있다."는 이 기막힌 가르침에도 불구하고, 무착스님은 "대중은 얼마나 됩니까?"라는 이 분별경계를 들먹이고 있다.

자! 이제 마지막 기회다.

"앞도 삼삼이고(前三三), 뒤도 삼삼이요(後三三)."

누군가 아직도 숫자를 계산하고 있다면 무착스님보다 더 답답한 사람이다

송(頌)

千峰盤屈色如藍이라
천 봉 반 굴 색 여 람

誰謂文殊是對談고
수 위 문 수 시 대 담

堪笑淸涼多少衆이여
감 소 청 량 다 소 중

前三三與後三三이로다
전 삼 삼 여 후 삼 삼

- **반굴(盤屈)**

  구불구불 겹쳐 있음. 서려서 얼크러짐.

- **청량(淸涼)**

  오대산의 다른 이름.

천 봉우리 굽이굽이 쪽빛 같은 오대산,
뉘라서 문수와 대화를 했다 말하는고.
우습다 청량산 대중이 얼마냐고 묻다니,
앞도 삼삼이고 뒤도 삼삼이라 하는구나.

강설(講說)

그대가 만약 오대산을 보았다면 멋지지 않은 봉우리를 말해보라. 사람들은 이러니저러니 말들을 잘도 하지만, 정작 오대산도 보지 못하고서 제일봉 타령만 하더라. 아참! 오대산 보겠다고 비행기 타고 버스 타고 가면 과연 제일봉 볼 수 있을까?

문수보살과 무착이 밤새워 얘길 했다고들 하는데, 무착은 어째서 제가 앉았던 그 자리도 몰랐단 말인가. 문수를 보겠다고 원을 세우고 오매불망했던 신라의 자장율사도, 결국은 사라지는 그 빛 자락만 쫓다가 죽었다고 정암사에는 전한다지. 보았다고 해도 그것은 허깨비요, 보지 못하였다고 해도 그는 멍청이다.

극락에는 불보살이 얼마나 있는지 궁금한가? 지옥의 숫자가 몇 개나 되는지 궁금한가? 이 세상에 도인이 몇이나 있는지 궁금한가? 아직도 그 따위 것들에 관심이 있는가?

어떤 사람은 팔만대장경의 경판 수가 궁금하고 또 어떤 이는 대장경이 몇 글자로 되었는지 궁금하기도 하나 보다. 하지만 그걸 알아서 어디에 쓰게. 공(空)이 몇 자로 된 것인지 아는가? 그걸 알고 있다면 '전삼삼후삼삼(前三三後三三)'도 몇 명인지 알겠구먼. 아하! 물론 착각이야 자유지.

제36칙

장사 춘의
(長沙春意)

장사선사의
봄기운

"연연하지 말라, 아무리 멋진
꿈이라도 꿈일 뿐이니…"

옳으니 그르니 분별하지 말고,
곧바로 참다운 모습 보라!

■ 장사경잠(長沙景岑, ?~868)선사는 당대(唐代)의 스님으로 남악회양(南嶽懷讓) – 마조도일(馬祖道一) – 남전보원(南泉普願) – 장사경잠(長沙景岑)으로 이어지는 선사이다. 초현(招賢)대사라고도 한다.

남전선사로부터 깨달음을 인정받고 이후 호남성(湖南省) 장사(長沙)에 있는 녹원사(鹿苑寺)에 머물며 후학을 지도했으나, 이곳을 떠난 후로는 한곳에 머물지 않고 유랑했다고 한다.

『경덕전등록(景德傳燈錄)』 제10권에 문답과 법문이 전해지고 있는데, 이론과 게송 및 기봉(機鋒)에 모두 능통했던 것으로 보인다.

『경덕전등록(景德傳燈錄)』에 보면 다음과 같은 애기가 있다.

경잠선사가 뜰에서 볕을 쬐는데, 앙산이 한마디 했다. "사람마다 다 이 일이 있건만 다만 쓰지를 못하는군요."

경잠선사께서 말씀하셨다. "마치 자네가 쓰기를 바라는 것 같군."

앙산이 여쭈었다. "어떻게 써야 합니까?"

경잠선사가 곧바로 앙산을 밟아 쓰러뜨렸다.

앙산이 한마디 했다. "마치 호랑이 같군."

이로부터 제방에서는 경잠호랑이라고 부르게 되었다.

본칙(本則)

擧 長沙가 一日에 遊山하고 歸至門首하
거 장사 일일 유산 귀지문수

니 首座問호대 和尙什麼處去來닛고 沙云
수좌문 화상십마처거래 사운

遊山來로다 首座云 到什麼處來오 沙云
유산래 수좌운 도십마처래 사운

始隨芳草去하고 又逐落花回로다 座云
시수방초거 우축락화회 좌운

大似春意니다 沙云 也勝秋露滴芙蕖로다
대사춘의 사운 야승추로적부거

雪竇着語云 謝答話니다
설두착어운 사답화

- **문수(門首)**

  문두(門頭)와 같은 말. 문 앞.

- **수좌(首座)**

  제일좌(第一座)라고도 하며, 선원에서 방장 또는 조실을 보필하는 책임자.

- **춘의(春意)** 봄기운.

- **부거(芙蕖)** 연꽃. 연잎.

이런 얘기가 있다.

장사선사가 하루는 산을 유람하고 돌아와 문 앞에 이르렀다.

수좌가 여쭈었다. "스님께서는 어느 곳엘 다녀오십니까?"

장사선사께서 말씀하셨다. "산을 유람하고 온다네."

수좌가 여쭈었다. "어느 곳까지 가셨다가 오십니까?"

장사선사께서 말씀하셨다. "처음엔 향기로운 풀을 따라서 갔다가, 다시 떨어지는 꽃을 좇아 돌아왔다네."

수좌가 말씀드렸다. "봄기운이 무르녹습니다."

장사선사께서 말씀하셨다. “그야 가을이슬이 연잎에 떨어지는 것보단 나았다네.”

(후일) 설두선사가 덧붙여 말씀하였다. “답해 주셔서 감사합니다.”

강설(講說)

여기 멋진 구경거리가 펼쳐졌다. 절집에서야 다반사로 있는 일이긴 한데, 그 다반사와 같은 일을 특별한 일로 만들어버린 사건이 벌어진 것이다.

도량의 어른이신 장사선사께서 흔히 그랬듯이 그날도 산을 한 바퀴 돌아오셨다. 문 앞에서 선사와 마주친 선원의 책임자 스님이 그 일상의 일을 두고 질문을 던진 것이다.

"스님, 어딜 다녀오십니까?"

오고 감이 없는 경지를 추궁이라도 할 참이었을까? 하지만 어른은 역시 느긋하게 답하셨다.

"산놀이 갔다 오는 길이라네."

여기서 멈춘다면 공부하는 사람이 아니다. 그래서 다시 칼날처럼 파고들었다.

"어디까지 다녀오시는 것입니까?"

똑똑한 사람이라면 팔각정이니 산꼭대기니 하는 답을 했을 것이다. 그랬다면 그는 그 자리에서 목이 달아나고, 이 얘기는 전해지지도 않았을 것이다. 자! 궁극의 경지를 알고자 하는가?

여기 노련한 선지식의 능수능란한 솜씨를 보라.

"처음엔 향기로운 풀을 따라갔다가, 이윽고 떨어지는 꽃잎 쫓아서 돌아왔다네."

발심의 그 향기로움과 꽃 열림의 그 환희여! 그러나 떨어지는 꽃잎처럼 모든 것 놓아버리는 무심의 경지를 누가 알랴.

여기에 이르러 수좌는 맞장구를 치고 있다.

"봄기운이 가득하군요."

과연 이것이 단순한 긍정일까? 바로 이때 노익장의 몽둥이가 정수리로 날아든다.

"마른 연잎에 떨어지는 차가운 가을의 이슬 같은 '거기'에 언제까지 머물러 있을 것인가?"

"답해 주신 것에 대해 감사하다"고 표현하는 설두스님의 이 노련함을 보라. 자비심이 넘친다.

송(頌)

大地絶纖埃하니 何人眼不開리오
대 지 절 섬 애　　하 인 안 불 개

始隨芳草去하고 又逐落花回여
시 수 방 초 거　　우 축 낙 화 회

羸鶴翹寒木하고 狂猿嘯古臺라
이 학 교 한 목　　광 원 소 고 대

長沙無限意여 咄
장 사 무 한 의　　돌

• **고대(古臺)** 옛 누대. 옛 성현의 자취.

온 세상 가는 티끌 하나 없으니,
어떤 사람인들 눈을 뜨지 못하랴.
처음엔 향기로운 풀 따라 갔다가,
다시 떨어지는 꽃 좇아 돌아옴이여.
마른 학은 찬 나무에서 발돋움하고,
미친 원숭이 옛 누대에서 울부짖누나.
장사선사의 다함 없는 뜻이여! 쯧쯧!

강설(講說)

분별하는 마음으로 보고 있는 복잡한 세상이나 단순한 세상은 가짜다. 괴로운 세상이나 슬픈 세상이나 즐거운 세상 또한 가짜다. 왜냐하면 다음 순간 다른 세상으로 보일 것이기 때문이다.

세상은 본래 텅 빈 것이다. 거기 슬픔, 기쁨, 괴로움, 즐거움 따위는 자신이 만든 환상일 뿐이다. 고고함, 거룩함, 위대함 뭐 그런 것 또한 환상이다.

눈을 뜨지 못한 상태에서는 갖가지 환상만 가득할 뿐이다. 본래 장님이 아닌데 괜히 장님인 것처럼 굴지 말라. 다만 눈만 번쩍 뜨면 될 일이다.

향기로운 풀을 따라갔다가 떨어지는 꽃 쫓아 돌아왔다고 하니, 이 얼마나 아름다운 답인가. 도중에 아주 멋진 경치를 보더라도 고향 돌아옴을 잊지는 마소. 청정한 마음의 고향이 어디인가? 돌아오는 것은 그만두고 보기나 했는가?

갈수록 털 빠진 학처럼 되어 고고한 체하는 놈들 많고, 미친 원숭이 같은 놈들의 소음이 세상을 시끄럽게 하는구나. 아뿔싸! 철부지들이 모두 그 소리를 쫓아가고 있으니, 이 사태를 어쩌면 좋을꼬.

어딜 갔다 왔는지를 확연히 밝혀 주었건만 봄기운 타령만 하는 친구여. 제법 아는 체했다마는 비쩍 마른 학이 부질없이 목을 빼고 있는 격이며, 미친 원숭이가 옛 성현의 자취를 더듬으며 울부짖는 격이로다.

장사선사의 자비로운 답을 들어보라. '가을이슬이 연잎에 떨어지는 경지' 따위에 연연하지 말라. 아무리 멋진 꿈이라도 꿈일 뿐이니….

설두선사께서 말로 다 할 수 없는 소식을 이렇게 표현했다. "쯧쯧!"

제37칙

반산 구심
(盤山求心)

반산선사의
마음을 구함

"존재라고 할 것이 없나니,
어디서 마음을 구하랴…"

석가모니와 이 대중들은 어디에 있는가?
탱화에 있으니 있는 것인가, 실체를 볼 수 없으니 없는 것인가!

강설(講說)

불교공부를 하는 사람은 처음엔 대개 좋아라고 한다. 모르던 것을 하나씩 익히고 쌓아가는 재미가 있기 때문이다. 그러나 어느 순간 번개가 치고 천둥이 울리듯 급박한 일이 벌어지면 지금까지 쌓은 불교지식이란 것이 쓸모없음을 알게 된다.

선지식을 만나면 자기가 배운 지식으로 헤아려보려고 겁 없이 덤비지만, 선지식은 결코 지식으로 헤아릴 틈을 주지 않는다. 팔만대장경을 넘어서는 안목이라야 겨우 살필 수 있고, 바람을 잡는 솜씨라야 겨우 손잡아 볼 수 있다.

어떤 사람은 자기 깜냥대로 선지식을 이리저리 평가하기도 하는데, 가령 충분히 분석했다고 좋아하는 그 순간도 다만 자기가 만들어낸 귀신 장난에 속고 있음을 모르고 있는 것이다.

과연 분별하지 않고 있는 그대로의 선지식을 볼 수 있는가? 손익 계산하지 않고 온전히 선지식과 마주할 수 있는가? 만약 그럴 수만 있다면 어느 누구도 어쩌지 못할 것이다.

■ 반산 보적화상(盤山寶積和尙, 720~814)은 마조도일(馬祖道一)선사의 법제자이다. 하북성(河北省) 유주(幽州) 반산(盤山)에서 법을 펼치며 후학을 지도했다. 법제자로는 기행을 일삼았던 진주(鎭州)의 보화화상(普化和尙)이 있다.

어느 날 보적화상이 푸줏간 앞에서 탁발을 하느라 목탁을 치며 염불을 하고 있었다. 그때 어떤 사람이 고기를 사러 와서 "좋은 고기로 주게나."하고 말했다. 그러자 주인이 퉁명스럽게 말했다. "우리 가게엔 좋은 고기밖에 없습니다." 이 말을 듣는 순간 크게 깨달았다. 그리고는 게송을 읊었다.

마음의 달 홀로 둥글어(心月孤圓)
그 빛이 만상을 삼키니(光呑萬象),
빛이 경계를 비춤 아니요(光非照境)
경계 또한 있지 않도다(境亦非存)
빛과 경계가 다 없어지면(光境俱亡),
다시 이 무슨 물건인가(復是何物)!

『경덕전등록(景德傳燈錄)』 제7권에 보적화상의 법문이 있어서 발췌해 본다.

「……만약 마음이 부처라고 말한다면 지금 현묘한 이치(玄微)에 들지 못하고, 만약 마음도 아니고 부처도 아니라고 말한다면 여전히 자취를 가리키는 지극한 준칙(極則)일 뿐이다. 위로 향하는 길(向上一路)은 모든 성현이 전하지 못하거늘, 배우는 자가 몸을 수고롭게 하는 것은 마치 원숭이가 그림자를 잡으려는 것과 같다.……마음의 달 홀로 둥글어 그 빛이 만상을 삼키니, 빛이 경계를 비춤 아니요 경계 또한 있지 않도다. 빛과 경계가 다 없어지면 다시 이 무슨 물건인가! ……삼계에 법이 없거늘 어디서 마음을 구하며, 사대(四大-몸)가 본래 공하거늘 부처인들 어디에 의지해 머무르랴. 구슬 기틀(학기璿機-구슬처럼 밝은 본분) 움직임 없이 적멸해서 말 없나니, 눈앞에 드러나 있을 뿐 다른 일 없도다.」

보적화상이 임종시에 대중에게 말했다.

"누가 나의 초상을 그릴 수 있겠는가?"

대중이 모두 초상을 그려 바쳤는데, 화상은 모두 아니라고 하였다. 이때 보화(普化)가 나섰다.

"제가 스님의 진영(眞影-초상화)을 그렸습니다."

"그렇다면 왜 나에게 바치지 않는가?"

보화가 물구나무를 서서 나가니, 보적 화상이 말했다.

"저놈은 훗날 미친 듯이 사람을 교화하리라."

본칙(本則)

擧 盤山이 垂語云 三界無法하니 何處求
거 반산 수어운 삼계무법 하처구

心이리오
심

- **수어(垂語)**
  설법을 함.
- **삼계(三界)**
  중생이 사는 모든 세계. 욕망의 욕계(欲界), 물질의 색계(色界), 순수 정신의 무색계(無色界).

이런 얘기가 있다.

반산화상께서 법문에서 말씀하셨다.

"모든 세계에 존재라고 할 것이 없나니, 어느 곳에서 마음을 구하랴."

강설(講說)

반산 보적화상께서 금강보검을 휘두르셨다. 여기에 뭐라고 입을 대는 사람은 그 순간 혀가 잘릴 것이다. 여기 불교를 어느 정도 공부한 사람이라면 다 아는 용어를 구사해 놓았다. 삼계(三界)라느니, 법(法)이라느니, 마음(心)이라느니 하는 것 말이다.

상식적 수준에서는 삼계는 어떤 존재로 구성되는 것이다. 우리가 세상이라고 하는 것은 보이는 것을 중심으로 얘기하지 않는가? 또한 그것을 인식하는 마음이라는 것이 있기에 우리도 존재함을 알지 않는가?

그러나 그것은 어디까지나 그림자놀이이다. 삼계라는 것이 대체 어디에 있는가? 존재라는 것은 또 무슨 호수의 달 잡는 얘기인가? 마음이라는 것은 대체 무엇을 가리키는 것인가?

이 모든 것들이 오직 하나를 가리키고 있으니, 무엇을 향하고 있는지를 분명히 봐야 한다.

송(頌)

三界無法하니 何處求心고
삼 계 무 법 하 처 구 심

白雲爲蓋하고 流泉作琴이라
백 운 위 개 유 천 작 금

一曲兩曲無人會하니
일 곡 양 곡 무 인 회

雨過夜塘秋水深이로다
우 과 야 당 추 수 심

- **위개(爲蓋)**

  일산이(蓋) 됨(爲).

- **작금(作琴)**

  거문고가(琴) 됨(作).

온 세상에 아무것도 없나니,
어디서 마음 따위를 구하랴.
하얀 구름은 일산이 되고,
흐르는 물은 거문고가 됨이라.
한 가락 두 가락 아는 이 없으니,
비 지난 밤 연못 가을 물 깊어라.

송(頌)

온 세상에 아무 것도 없나니,

어느 곳에서 마음 따위를 구하랴.

강설(講說)

거칠 것 없는 대 자유인의 앞에서는 '마음'이라느니 따위 헛소리를 해서는 안 된다. 그런 것은 문밖에 있는 사람들에게나 해당될 뿐이다. 혹여 '없다'에 떨어지지는 말 것.

송(頌)

하얀 구름은 일산이 되고,

흐르는 물은 거문고가 됨이라.

강설(講說)

세계 최고의 오케스트라가 예술의 전당에서 연주하는 베토벤이나 말러의 교향곡을 들으면 얼마나 좋은가. 그러나 엄격히 따지면 그런 것들은 어디까지나 인위적인 것에 불과한 것이다. 천지가 음악당이 되고, 물과 바람과 나무와 바위가 악기가 되어 연주되는 우주교향곡을 들을 줄 알게 되면 어느 누구도 그대를 어쩌지 못하리라.

송(頌)

한 가락 두 가락 아는 이 없으니,

강설(講說)

온 세상이 쉼 없이 최고의 인생을 위한 연주를 되풀이해 주고 있는데, 사람들은 망상에 빠져 부질없이 허송세월만 한다. 언제쯤에나 자신이 주인공임을 알게 될까?

송(頌)

비 지난 밤 연못 가을 물 깊어라.

강설(講說)

설두스님께서 반산스님을 얼마나 좋아하는지를 알겠다. 가을비 지난 뒤 연못 깊어지는 도리라니. 오늘 밤은 설두스님과 더불어 가을 물 깊은 연못가를 노닐어야겠다.

제38칙

풍혈 철우
(風穴鐵牛)

풍혈선사의
무쇠 소

"끊어야 할 때 끊지 않으면
도리어 혼란만 초래한다"

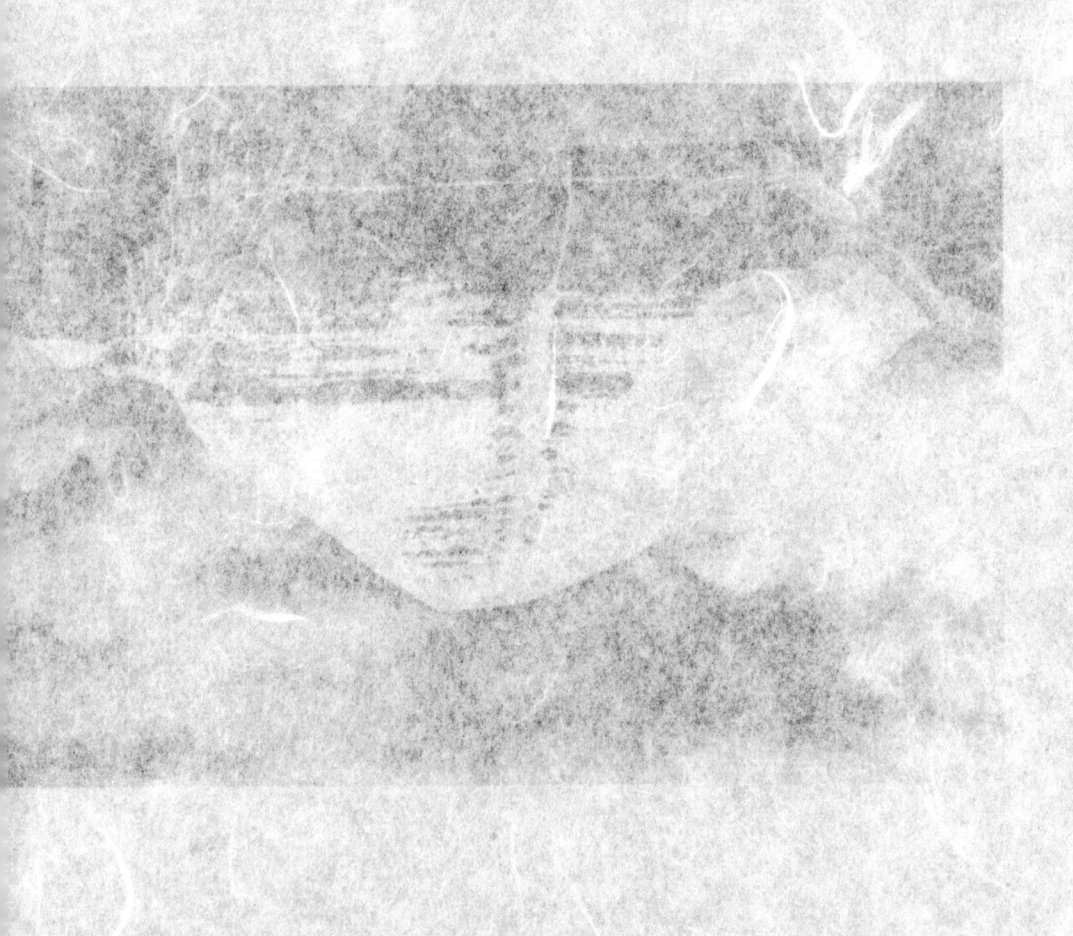

사람들이 흔히 수미산이라고 하는 카일라스.
계단도 엘리베이터도 없는데 어떻게 정상에 오를 수 있을까?

강설(講說)

지금도 끝없이 수많은 주장이 엇갈리고 있듯이 불교의 수행론은 무수히 많다. 그러나 크게는 두 가지로 정리할 수 있다. 하나는 서서히 점진적으로 업(業)을 맑히며 한 단계씩 깨달음으로 나아갈 수 있다는 주장이다. 물론 개개인의 수행과정을 보면 이 주장도 일리는 있다. 그래서 많은 경론에서는 수행하며 오르는 단계를 무수히 설정해 두고 설명하기도 한다. 초기불교의 수행에서도 주로 단계적인 이 방법으로 지도했다.

또 하나는 순식간에 깨달음을 얻을 수 있다는 주장이다. 흔히 돈교(頓教)라고 일컫는 『화엄경(華嚴經)』 등의 경전과 중국의 선종(禪宗)에서 주장하는 것이 대부분 여기에 해당된다고 볼 수 있다. 부처님의 삶을 통해 볼 때 대각(大覺)을 이루기 전까지 단계적으로 깨달았다는 설명은 없다. 오직 보리수 아래에서 정각(正覺)을 이루었다는 것이 유일한 설명이다.

부처님께서는 그 사람의 근기에 따라 지도하셨다. 그래서 어떤 사람은 무수한 세월을 수행한 후 비로소 깨닫고, 또 어떤 사람은 부처님의 설법을 한 번 듣고는

깨닫기도 했던 것이다. 그러므로 부처님의 가르침이나 지도법을 두고 돈교(頓教)와 점교(漸教)로 나누는 것은 어느 한 점만을 본 것이다. 어떤 이는 초기경전을 보면서도 마음이 활짝 열리고, 어떤 이는 대승경전을 보면서도 그저 세월만 보내는 이가 있다.

■ 풍혈 연소화상(風穴延沼和尙, 896~973)은 남원 혜옹화상(南院慧顒和尙)의 제자이며, 임제선사의 4대 법손(法孫)이다. 여주(汝州) 풍혈산(風穴山)에 주석했으므로 풍혈 화상이라고 한다.

본칙(本則)

擧 風穴이 在郢州衙內하야 上堂云 祖師
거 풍혈 재영주아내 상당운 조사

心印이 狀似鐵牛之機하니 去卽印住하고
심인 상사철우지기 거즉인주

住卽印破라 只如不去不住하야는 印卽是
주즉인파 지여불거부주 인즉시

아 不印卽是아 時有盧陂長老하야 出問
불인즉시 시유노파장로 출문

호대 某甲이 有鐵牛之機하니 請師不搭印
모갑 유철우지기 청사불탑인

하소서 穴云 慣釣鯨鯢澄巨浸터니 却嗟蛙
혈운 관조경예징거침 각차와

步輾泥沙로다 陂가 佇思어늘 穴이 喝云 長
보전니사 파 저사 혈 할운 장

老何不進語오 陂가 擬議하니 穴이 打一拂
로하부진어 파 의의 혈 타일불

子라 穴云 還記得話頭麽아 試擧看하라
자 혈운 환기득화두마 시거간

陂가 擬開口어늘 穴이 又打一拂子라 牧主
파 의개구 혈 우타일불자 목주

云 佛法與王法이 一般이니다 穴云 見箇
운 불법여왕법 일반 혈운 견개

什麽道理오 牧主云 當斷不斷하면 返招
십마도리 목주운 당단부단 반초

其亂이니다 穴이 便下座하다
기란 혈 변하좌

- **영주아내(郢州衙內)**

  송(宋) 정주 목수(牧守) 이사군(李史君)이 업무를 관장하던 곳.

- **조사심인(祖師心印)**

  조사의 마음도장. 심인은 글이나 말에 의(依)하지 아니한 깨달음의 경지를 가리킴. 도장(印)이 진실을 증명하듯이 조사의 마음도 또한 진실하다는 것. 부처님께서 깨달으신 경지를 불심인(佛心印)이라고 한 데서 비롯함.

- **철우(鐵牛)**

  무쇠로 만든 소. 무거워서 움직일 수 없거나 단단해서 뚫을 수 없는 것을 비유적으로 이르는 말.

- **철우지기(鐵牛之機)**

  무쇠 소의 작용. 사량과 분별을 넘어선 절대 경지의 작용.

- **노파(盧陂)**

  파(陂)는 지명에 사용될 때는 '피'로도 읽을 수 있음. 여기서는 盧자가 갈대(蘆)라는 뜻으로도 사용되므로 '갈대 우거진 물가'라는 뜻으로 보고 '노파'로 읽음.

- **모갑(某甲)**

  자신을 낮출 때 쓰는 말. '제가' '제게' 등으로 번역.

- **경예(鯨鯢)**

  수컷 고래와 암컷 고래.

- **거침(巨浸)**

  큰물. 바다.

- **각차(却嗟)**

  안타깝다, 불쌍하다.

- **의의(擬議)**

  무슨 말을 하려고 머뭇거림.

- **불자(拂子)**

  원래는 파리나 모기를 쫓는 총채인데, 어른들만 가질 수 있었기에 큰스님들의 상징물이 되었음. 법문을 할 때나 제자를 지도할 때 손에 들고 있던 이것을 자주 사용하였음.

- **목주(牧主)**

  영주 목의 태수. 목수(牧守)

- **왕법(王法)**

  나라를 다스리는 법.

이런 얘기가 있다.

풍혈선사께서 영주의 관아 안에서 설법하는 자리에 올라 말씀하셨다. "조사의 마음도장은 모양이 무쇠 소의 작용과 같다. 치우면 곧 도장이 나타나고 그대로 두면 곧 도장이 나타나지 않는다. 그렇다면 만약에 치우지도 않고 그대로 두지도 않는다면, 도장이라 해야 옳은가 도장이 아니라고 해야 옳은가?"

그때 노파 장로가 자리에 있다가 나와 물었다. "제가 무쇠 소의 작용을 가졌으니, 청컨대 스님께서는 도장을 찍지 마십시오."

풍혈선사께서 말씀하셨다. "고래를 낚아 바다를 맑히는 데는 익숙하지만, 안타깝게도 개구리가 진흙 밭을 뒹구는구나."

노파 장로가 생각에 잠겼는데, 풍혈선사께서 꽥 고함을 지르고는 말씀하셨다. "장로는 어째서 말을 잇지 못하는가?"

노파 장로가 무슨 말을 하려고 머뭇거리는데, 풍혈선사께서 불자로 한 번 후려쳤다.

풍혈선사께서 말씀하셨다. "내가 한 말의 참뜻을 알기는 하겠는가? 한번 말해 보시게!"

노파 장로가 무슨 말을 하려고 머뭇거리는데, 풍혈선사께서 다시 불자로 한 번 후려쳤다.

영주의 태수가 말했다. "불법과 더불어 왕법이 똑같군요."

풍혈선사께서 말씀하셨다. "어떤 도리를 보았는가?"

영주의 태수가 말했다. "끊어야 할 때 끊지 않으면 도리어 혼란을 초래합니다."

풍혈선사께서 곧바로 법좌에서 내려오셨다.

강설(講說)

풍혈선사께서 영주의 관청에 초청받아 고래잡이에 나섰다. 그래서 '조사의 심인'이니 '무쇠 소의 작용'이니 하며 미끼를 던졌다. 이건 낚시하는 놈을 통째로 삼킬 능력이 없다면 어설프게 물어서는 안 된다. 풍혈선사는 사실 자기를 미끼로 내어 놓은 것이나 다름없다. 대단한 자비이다.

자긍심을 가진 노파 장로가 덥석 미끼를 물었다. 하지만 풍혈선사까지 집어삼킬 힘이 없었다. 비록 무쇠 소의 작용이 있다고 큰소리를 쳤지만, 그것을 곧바로 쓰지도 못했을 뿐더러 구걸을 하고 말았다. "스님께서는 굳이 저를 인정할 필요도 없습니다."라니, 쯧쯧!

풍혈선사가 다시 한번 기회를 주었다. "고래를 낚아 바다를 맑히려고 했더니, 어찌 개구리가 나와 진흙에서 뒹굴고 있단 말인가" 이때라도 노파 장로가 무쇠 소의 작용을 보였어야만 했다. 그러나 다시 기회를 놓치고 머뭇거리고만 있었다.

여기까진 봐줄 만하다. 하지만 풍혈선사의 노파심이 지나쳤다. "내 뜻을 알기는 하는가?"하고 되물어 볼 때

쯤에는 이미 선사도 흙탕물을 뒤집어쓰고 있었다. 무릇 모든 선지식이 이처럼 자신을 버리면서까지 후학을 위하는 것이다. 하지만 노파 장로는 아직도 헤매고 있는 것을 어쩌랴. 괜히 매만 벌고 있다.

그러자 선사를 초청했던 영주의 태수가 나서서 한마디 했다.

"불법이나 나라의 법이나 매한가지군요."

"무슨 도리를 보았는가?"

"머뭇거리다간 큰일 나는 것이지요."

그랬다. 옆에 있던 태수가 적중은 아니었지만 그나마 과녁은 맞추었다. 선사가 제법 큰 잉어를 낚아 겨우 체면치레를 하고 낚싯대를 거둘 수 있었다.

송(頌)

擒得盧陂跨鐵牛나
금 득 노 파 과 철 우

三玄戈甲未輕酬로다
삼 현 과 갑 미 경 수

楚王城畔朝宗水를
초 왕 성 반 조 종 수

喝下曾令却倒流로다
갈 하 증 령 각 도 류

- **삼현(三玄)**

  임제삼현을 가리킴. 현(玄)은 심오한 이치들을 설명할 때 쓰는 말. 임제종의 개조(開祖)인 임제(臨濟)선사는 "선의 종지(宗旨)를 제창함에 있어서 일구(一句) 가운데 모름지기 삼현문(三玄門)을 갖추고, 일현(一玄) 가운데 모름지기 삼요(三要)를 갖춘다."고 하였음.(『임제록』, 『경덕전등록』) 그러나 임제선사께서 이 삼현이 무엇인지를 직접 설명한 것은 전해오지 않음. 여기서는 임제선사와 같은 능력을 솜씨를 갖추었다는 뜻.

- **과갑(戈甲)**

  간과갑주(干戈甲冑) 즉 방패, 창, 갑옷, 투구를 가리킴. 전투에 필요한 완전무장을 한 것. 공격과 방어의 능력을 갖춤.

  ▶초왕성(楚王城)

  이 법문이 있었던 영주(郢州)가 당과 송대엔 초(楚)나라에 속했으므로 이렇게 표현한 것임.

- **조종수(朝宗水)**

  제후들이 황제를 만나기 위해 모여들 듯이 모든 물이 모여드는 것을 일컬음. 여기서는 법회에 참석한 많은 사람들을 비유한 것임.

- **각도류(却倒流)**

  물줄기가 오히려 거꾸로 흐름. 모였던 사람들을 흩어지게 함.

노파 장로를 붙잡아서 무쇠 소에 앉혔으나
삼현의 창 갑옷엔 함부로 대들지 못했네.
초나라 왕의 성 주변에 모여든 물줄기를
고함으로 이미 거꾸로 흐르게 하였네.

강설(講說)

풍혈선사의 작전대로 미끼를 문 사람이 있었다. 그래서 무쇠 소의 등에 태우기까진 하였다. 그러나 풍혈선사의 경지가 너무나 완벽하여 노파 장로는 제대로 대응도 못 하고 말았다.

불교에 대한 이런 저런 설명을 접한 사람들은 우선 흥미가 발동하여 공부를 해 보려고 한다. 하지만 마음공부란 결코 만만치 않다. 단순한 용기만으로는 뚫고 나갈 수는 없는 것이다.

풍혈선사의 명성을 듣고 무수히 많은 사람들이 지도를 받을까 하여 모여들긴 했으나, 의욕만으로 어떻게 하겠는가. 풍혈선사가 노파심으로 꽥 고함을 질러 일깨워 주려 하였으나, 그 고함에 도리어 정신이 아득해지고 마는구나.

마음공부를 하려는 사람은 우선 대전환이 필요하다. 대부분의 사람들은 선지식으로부터 위로를 받으려고 한다. 그래서 힐링(healing-치유)이니 뭐니 하며 감성적인 측면을 만족시키면 마치 자신이 공부가 된 듯 착

각에 빠진다. 그러나 그것은 가짜다. 다른 한편으로는 지식으로 접근하는 측면이다. 불교에 대한 책을 혼자서 여러 권 읽고는 마음대로 해석한 뒤에 그것으로 보호막을 삼으려 한다. 그것도 역시 가짜다.

고함에 물줄기가 거꾸로 흐르듯, 이제까지 감성적으로 위로받으려는 방식이나 혹은 지식으로 접근하는 방식을 버려야 한다. 그래야 새로운 길이 겨우 보인다.

자신의 공부가 제대로 된 것인지를 어떻게 점검할 수 있을까? '어떤 상황을 만나더라도 언제나 편안한 마음(平常心)'으로 그 상황을 풀어갈 수 있다면, 어느 정도는 인정해도 좋으리라. 그러나 감정에 끌려다니며 불편한 마음이 되었다면 아직 멀었다.

제39칙
운문 금모사자
(雲門金毛獅子)

운문선사의
황금 털 사자

"금빛 사자 보기 전에
먼저 죽을 결심부터 하라"

미얀마 바간 쉐지곤 사리탑 아래에 있는 황금사자.
설마 이 사자를 상상하지는 않겠지.

강설(講說)

불교공부의 목적은 해탈 열반이다. 그러므로 철저하게 수행하여 부처님께서 말씀하신 것을 체득하고 아울러 정법으로 지도하여 사람들이 깨달을 수 있도록 돕는 것은, 마치 범이 산에 있는 것처럼 여법하고 당당하다.

반대로 사람들이 좋아하고 원한다고 해서 입만 열면 영험과 복 받는 것에 대해 해가 기울도록 떠들면서 영험한 곳 찾아다닌다며 섣달그믐에 이르도록 대중을 이리저리 끌고 다닌다면, 이는 우리에 갇힌 원숭이가 온갖 재주를 부려도 결국 갇힌 신세를 면치 못하는 것과 같아서 해탈할 수 없다.

자기 안에 부처의 성품을 깨닫고자 하는 사람은 때를 기다릴 줄 알아야 하며, 좋은 스승과의 인연을 놓치지 말아야 한다. 뿐만 아니라 스승의 모진 시험이 자신에게 베풀어지는 최고의 자비임을 알아서 끝까지 잘 견뎌 통과해야만 할 것이다. 농기구는 풀무질과 담금질을 적당히 하여 만들지만, 보검은 수만 배도 넘는 풀무질과 담금질을 거친 후에야 만들어지는 것이다. 농기구나 보검이나 모두 쇠로 만들지만, 두들기는 횟수에

따라 이처럼 달라진다. 만약 자신이 부처와 동등한 성품을 지녔다고 생각한다면, 싯다르타처럼 목숨을 걸고 수행해 보라. 특히 좋은 스승을 만났을 때는 절대로 물러서지 말라. 반드시 시험을 통과해야만 진불(眞佛)을 보게 될 것이다.

만약 석가가 평범한 스님의 모습으로 나타난다면 알아볼 수 있을까? 그저 자기 분상에 딱 맞는 허깨비나 쫓아다니느라 돌아보지도 않을 것이다. 이런 실수를 저지르지 않으려면 옛 선지식들의 언행을 유심히 살펴야만 한다.

■ 운문 문언선사(雲門文偃禪師, 864~949)는 어릴 때 지징율사(志澄律師)의 제자가 되어 율장에 대한 공부를 열심히 하였으나, 불법에 대한 목마름을 해결할 수 없자 황벽(黃檗)선사의 제자인 목주(睦州)선사를 찾아가 가르침을 청했다. 목주스님은 그를 보자마자 문을 닫아 버렸다. 문언스님이 열심히 문을 두드리자 목주스님이 물었다.

"넌 누구냐?" "문언입니다." "무얼 원하느냐?" "참 성품을 깨닫고자 가르침을 받으려 합니다."

목주스님이 문을 열고 힐끗 보고는 문을 닫아 버렸다. 문언스님이 이틀간 계속 청했으나 거절당하다가 사흘째 문을 열어 주자 곧바로 문안으로 발을 들여 놓았다. 목주스님이 멱살을 잡고 "말해! 빨리 말해!" 라고 재촉하는데, 문언스님이 잠깐 머뭇거리는 사이 밀어내며 세차게 문을 닫았다. 그 바람에 미처 나오지 못한 문언스님의 한쪽 발목이 부러져 버렸다. 그 순간 시원한 경계를 맛보았다.

이윽고 목주스님의 소개로 설봉스님을 찾아가게 되었는데, 운문스님이 설봉스님께 여쭈었다.

"무엇이 부처입니까?" "잠꼬대하지 마라!"

운문은 예배하고 물러나 줄곧 삼 년을 지냈는데, 그러던 어느 날 설봉스님이 불러 물었다.

"자네 요즘 생활이 어떤가?"

"예전의 모든 성현들과 더불어 하나도 다르지 않습니다."

훗날 운문산에 30여 년 머물며 지도하였고, 그로 인해 운문선사라 한다.

본칙(本則)

擧 僧問雲門호대 如何是淸淨法身이닛고
거 승문운문 여하시청정법신

門云 花藥欄이니라 僧云 便恁麼去時如
문운 화약란 승운 변임마거시여

何닛고 門云 金毛獅子니라
하 문운 금모사자

- **화약란(花藥欄)**

  작약, 모란 등의 꽃밭을 에워싼 울타리. 약초밭 울타리.

- **임마거시(恁麼去時)**

  그렇게 갈 때. 그렇게 알 때.

이런 얘기가 있다. 어떤 스님이 운문선사께 여쭈었다.

"어떤 것이 청정한 법신입니까?"

운문선사께서 답하셨다.

"약초밭 울타리지."

그 스님이 여쭈었다.

"곧 그렇게 갈 때는 어떻습니까?"

운문선사께서 답하셨다.

"금빛 털 사자니라."

강설(講說)

"어떤 것이 청정한 법신입니까?" 이 질문을 던진 스님은 나름대로 열심히 정진했을 것이다. 말로는 무수한 설명을 들었지만 뻥 뚫리지 않는 최후의 관문 때문에 수행자는 목숨을 건다. '자성청정'이니 '진여'니 '깨달음의 경지'니 하는 용어는 웬만큼 공부하면 다 아는 말이다. 문제는 그것이 자신의 경지가 아니라는 점이다. 그래서 이 수행자는 천하의 운문선사를 찾아서 이 질문을 던진 것이다.

"약초밭 울타리지." 선사의 답은 한편으로는 매우 자상하지만, 한편으로는 또 하나의 함정이다.

덕수궁 돌담길을 웬만큼 걸어본 사람은 덕수궁에 대해서 아주 잘 안다고 떠들 것이다. 그는 덕수궁의 담 모양에 대해 아주 상세하게 말할 것이고, 담 주변의 풍경에 대해서도 상세하게 말할 수 있을 것이다. 뿐만 아니라 얼핏얼핏 보이는 대문 너머의 대궐지붕 등에 대해서도 설명할 것이다. 그렇다면 이 사람이 덕수궁에 대해서 잘 아는 것일까?

이미 첫 번째 답에서 모든 것을 밝혔지만 질문자는 가다가 만 모양이다. 그래서 두 번째의 질문을 던졌다.

"그렇게 갈 때는 어떻습니까?"

선사께서 참으로 친절하게 답을 해 주셨다.

"금빛 털 사자니라."

덕수궁 돌담길 천만번 걸었다고 자랑하지 말라. 대문 안으로 들어섰다고 자랑하지 말라. 다 둘러봤다고 자랑하지 말라. 임금의 의자에 앉아 봤다고도 자랑 말라.

자! 그럼 어떻게 해야만 할까?

"금빛 털 사자니라."

송(頌)

花藥欄이여 莫顢頇하라
화 약 란 막 만 한

星在秤兮不在盤이로다
성 재 칭 혜 부 재 반

便恁麽여 太無端이로다
변 임 마 태 무 단

金毛獅子大家看하라
금 모 사 자 대 가 간

- **만한(顢頇)**

  얼굴이 아주 큰 모양. 아주 자만하는 모양.

- **성(星)**

  저울의 눈금.

- **반(盤)**

  저울에 달 때 물건을 담는 그릇.

- **태무단(太無端)**

  크게 바르지 않다. 아주 많이 어긋났다.

- **대가(大家)**

  그대들. 여러분.

약초밭 울타리여! 자만하지 말라.
눈금은 저울대에 있지 접시에 있지 않다.
곧 그렇게 라니? 한참 어긋났구나.
금빛 털 사자를 그대들은 보라.

강설(講說)

설두스님은 운문선사 특유의 언행을 잘 꿰고 있다.

'약초밭 울타리'라고 답한 운문선사의 눈은 결코 '약초밭 울타리'를 보고 있지 않음을 간파해야 한다. 사람들은 운문선사의 절절한 자비를 잘 모른다. 그래서 이러쿵저러쿵 멋대로 말들을 한다. 이런 이들에게 "아는 체 자만하지 말라!"고 설두 노인이 주장자를 날렸다. 하지만 설두 노인네도 참 자비가 넘친다. 한방 먹인 뒤엔 곧바로 자상하게 "눈금은 저울대에 있지 물건을 담아서 저울에 다는 접시에 있지 않다"고 충고를 하는 것이다.

조심해야 한다. 앞 구절에 정신 차렸다가 뒤의 구절에서 옆길로 빠질 수도 있으니까.

운문선사가 자상하게 답해 주었으나 수행승은 여전히 도중의 얘기를 하고 있다. "곧 그렇게 가면(알면) 괜찮겠습니까?"라고 묻다니. 여기에 다시 설두스님의 노파심이 작동했다. "한참 어긋났구나." 어떻게 어긋났는지를 바로 봤다면 아마도 금빛 사자를 보았겠지.

운문선사는 동쪽의 일을 묻는 수행자에게 서쪽의 얘길 해 주고 있다. “황금빛 사자니라.”고 답해 주다니, 참으로 친절도 하시지. 설두 노인의 노파심은 끝이 없다. 그래서 백수중의 왕인 사자, 그 사자들 중의 왕인 금빛 사자를 직접 보라고 충고한다. 하지만 이 노인네가 한 가지 쓴 소리를 빼 먹었다. ‘금빛 사자를 보기 전에 먼저 죽을 결심부터 해야 한다’는 한마디를 잊어버렸다.

제40칙

남전 정화
(南泉庭花)

남전선사의
뜰에 핀 꽃

"무쇠 나무에 핀 꽃은
빛이요 자유 평화 적멸이다"

흐드러지게 꽃 피는 뜰에 서서
지난겨울 눈 온 얘기하는 사람이 있다.

강설(講說)

모든 분별과 헤아림을 다 쉬어버리고 더 이상 되풀이하지 않는 사람은 어떨까? 멍청한 바보처럼 보일까? 다른 이들에게는 그렇게 보일 수도 있다. 어쩌면 무쇠로 만든 나무처럼 아무런 감정도 없는 것처럼 보일 수도 있겠다. 분명히 출세할 수 있음에도 그저 남 보기에 궂은 일만 하는 사람이 있다. 분명 자기가 돈을 많이 벌 수 있는데도 남이 돈을 벌 수 있도록 하는 사람이 있다. 자신이 억울한 누명을 썼는데도 변명도 하지 않고 사실을 밝히려고도 하지 않는 사람이 있다. 왜 그럴까? 무쇠나무에 꽃 핀 것을 보았기 때문이다.

무쇠 나무에 꽃이 피다니? 그런 일이 있을 수 있는가? 그것을 본 사람이 있기는 한 것일까? 물론 있다. 그런 사람은 그런 경지에 이른 사람만이 알 수 있기에 일반적으로는 없는 것처럼 보일 뿐이다. 무쇠 나무는 희로애락에 흔들리지 않는다. 그 나무에 핀 꽃은 꽃이 아니라 빛이다. 자유이며 평화이며 적멸이다.

세상에는 참 솜씨 좋은 사람도 많고 머리 좋은 사람도

많다. 그런데도 그들이 행복하지 않은 이유가 무엇일까? 온갖 술수를 부릴 수 있었던 손오공이 부처님의 손바닥을 벗어날 수 없었던 까닭이 무엇일까? 아주 잘 돌아가는 잔머리 때문이며 잔재주 때문이다. 그래서 손오공이 약간 멍청해 보이는 삼장법사의 제자일 수밖에 없었던 것이다.

손오공이 실수한 것이 무엇일까? 어째서 그는 마지막까지도 백지 경전이 아닌 글자로 가득한 경전을 가지고 왔을까? 그것이 어째서 잘못이란 말인가?

잘 살피지 않으면 손오공의 여의봉에 머리가 부서질 것이다.

■ 남전선사(南泉禪師, 748~834)는 당대(唐代)의 고승으로 마조 도일(馬祖道一)선사의 법제자이다. 하남성(河南省)의 신정(新鄭)에서 출생했다. 속성이 왕씨(王氏)로 10살 때 하남성 밀현(密縣) 대외산(大隈山)의 대혜 종고(大慧宗杲)화상에게 출가하여 삼장(三藏)을 익히고, 777년 비구계를 받은 뒤에도 경론(經論)을 공부

했으나 부족함을 느껴 마조선사를 찾아뵙고 지도를 받아 깨달음에 이르렀다. 795년에 안휘성(安徽省) 지양(池陽) 남전산(南泉山)에 들어가 나무하고 농사를 지으며 선풍을 떨치기 시작했으며, 30년간 한 번도 산을 나가지 않았으며, 말년에는 속성을 따서 스스로 왕노사(王老師)라고 칭했다. 제자로 조주 종심(趙州從諗) · 장사 경잠(長沙景岑) · 자호 이종(子湖利蹤) 등의 걸출한 이들이 많이 있고, 속가의 제자로는 육환 대부가 유명하다.

■ 육환 대부(陸亘大夫, 764~834)는 강소성(江蘇省) 소주(蘇州)의 오군(吳郡) 출신으로 자(字)는 경산(景山)이다. 벼슬이 관리의 죄를 다스리는 어사대부(御史大夫)에 이르렀기에 육환 대부라고 부른다. 남전선사를 만나 지도를 받아 속가제자가 되었으며, 여러 선사들과 교류한 기록이 남아 있다.

본칙(本則)

擧 陸亘大夫與南泉語話次에 陸云 肇
거 육 환 대 부 여 남 전 어 화 차 육 운 조

法師道호대 天地與我同根이요 萬物與我
법 사 도 천 지 여 아 동 근 만 물 여 아

一體라* 하니 也甚奇怪니다 南泉이 指庭前
일 체 야 심 기 괴 남 전 지 정 전

花하며 召大夫云 時人이 見此一株花를
화 소 대 부 운 시 인 견 차 일 주 화

如夢相似니라
여 몽 상 사

- 조 법사(肇法師)

  승조법사(僧肇法師)–도생(道生), 도융(道融), 도예(道叡)와 더불어 꾸마아라지이바(kumārajīva, 흔히 구마라집으로 칭함) 스님의 사대제자(四大弟子)라는 뜻으로 사철(四哲)로 칭송되던 고승. 법사가 지은 『물불천론(物不遷論)』, 『부진공론(不眞空論)』, 『반야무지론(般若無知論)』, 『열반무명론(涅槃無名論)』의 네 가지 논을 합쳐 『조론』이라고 함.

- 육환 대부가 승조법사의 말씀으로 인용한 구절은 『열반무명론(涅槃無名論)』 제4에 나오는 문구.

이런 얘기가 있다. 육환 대부가 남전선사와 더불어 얘기를 나누다가 육환이(남전선사께) 말씀드렸다.

"승조법사께서 '천지는 나와 더불어 같은 뿌리이고, 만물은 나와 더불어 하나의 몸이다'고 하였으니, 이는 매우 대단한 말입니다."

남전선사께서 뜰 앞의 꽃을 가리키시며 "대부!"하고 부르시고는 말씀하셨다.

"요즘 사람들은 이 한 떨기 꽃을 마치 꿈인 듯이 본다네."

강설(講說)

육환 대부는 평소 승조법사의 글을 좋아했나 보다. 『조론(肇論)』은 나름 공부를 많이 했다고 자부하는 이들이 즐겨 보는 수준 높은 논문이다. 뿐만 아니라 후대의 고승들이 이『조론(肇論)』을 보다가 심안(心眼)이 열린 이들이 많다. 논문의 글 중에서 '천지는 나와 더불어 같은 뿌리이고, 만물은 나와 더불어 하나의 몸이다'고 한 구절이 특히 유명하다. 이 구절은 승조법사가 천지만물과 자신이 둘 아닌 경지임을 읊어 놓은 대목이다.

육환 대부는 승조법사의 그 경지가 얼마나 대단한 것인지를 남전선사 앞에서 언급했다. 서로 멋들어진 시간을 보내다가 왜 느닷없이 이 구절을 들어내어 대단하지 않느냐고 했을까? 혹시 영리하다는 사람이 어른 앞에서 이런 일 저지른 경우를 본 적이 없는가? 육환대부가 매를 벌고 있구먼. 쯧쯧!

천하의 남전선사가 어설픈 장난에 속을 리가 있는가! 바로 눈앞의 꽃을 가리키시며 "대부!"라고 환기시켰다. 멀리 승조법사를 좇고 있던 멍한 눈길이 제자리에 왔을까? 『조론(肇論)』을 던져 버리고 불이(不二)의 경지에 섰을까?

남전선사는 참 자비로운 노인네다. 기어코 비밀을 실토하고 말았다.

"이보게! 사람들은 말이야, 몽롱한 동태눈깔로 잠꼬대하며 이 꽃을 본다니까!"

어째, 잠이 확 깨시나?

송(頌)

見聞覺知非一一이라
견 문 각 지 비 일 일

山河不在鏡中觀이로다
산 하 부 재 경 중 관

霜天月落夜將半에
상 천 월 락 야 장 반

誰共澄潭照影寒가
수 공 징 담 조 영 한

- **견문각지(見聞覺知)**

  눈으로 보고(見), 귀로 듣고 코로 냄새를 맡으며(聞), 혀와 살갗으로 느끼고(覺), 마음(意)으로 알아차리는 것(知). 여섯 가지 인식경계를 가리키는 말인데, '보고 듣고 깨달아 안다'고 잘못 풀이하는 이들이 많다.

- **비일일(非一一)**

  하나하나가 아님. 낱낱이 아님. 별개가 아님.

- **야장반(夜將半)**

  밤이 막 절정(半)이 되려 함. 한밤중. 밤이 깊음.

보고 듣고 느끼고 아는 것이 제각각 아님이라.
산과 강은 거울 속 보이는 것에 있지 않도다.
서리 내린 하늘에 달은 지고 밤도 깊었는데,
누가 맑은 못에 비친 그림자 차가움 함께하랴.

강설(講說)

여섯 가지 인식의 주체를 따로 설명하지만 모두 하나로 통일되는 것이다. 그걸 모르는 사람들은 바쁘다. 보이는 것 따라다니느라 바쁘고, 들리는 소리나 향기 따라 끌려다니느라 바쁘다. 혀 끝에 느껴지는 맛과 살갗의 촉감을 분석하느라 바쁘고, 그런 것 모두 알아차리느라 무지 바쁘다. 그런데 무엇이 바쁠까? 입과 귀와 코와 혀와 살갗과 마음(意根) 중에 무엇일까? 그것을 분명히 깨달으면 바쁠 것 없다는 것도 바로 깨달을 것이다.

아무리 맑은 거울이라도 그 속에 비친 산과 강을 진짜라고 착각해서는 안 된다. 호수 속 달 잡으러 갔다는 청련 거사(靑蓮居士) 이태백(李太白)이 달 건져 왔다는 소식 아직 듣지 못했고, 천하절색이라던 월나라(越國)의 미녀 서시(西施)는 아직도 거울 보며 미간을 찌푸리고 있단다. 그렇다고 이태백을 비웃을 것 없나니 지금 이 순간도 물에 비친 달 건지러 뛰어드는 사람 풀포기보다 많고, 서시를 흉볼 것 없나니 거울 앞에서 몽

롱하게 취한 미인들이 경포대 모래보다 더 많다. 물론 육환 대부는 승조법사의 꿈을 꾸느라 바쁘다.

호수 물이 다 마르고 거울이 깨어진다면 좀 속지 않으려나?

서리 내리는 하늘처럼 차가워진 뒤, 비추는 것도 비춰지는 것도 사라져 버리는 그 소식! 그 자리에 이르지 못했다면 맑은 못도 얘기하지 말고, 그림자의 차가움도 입에 담지 말라. 뼛속까지 시려 본 사람이 아니라면 그 밤의 얘긴 들어도 모른다. 물론 안다고 생각하는 것이야 자유겠지만.

이 소식 전하려 석가 노인이 불타는 대지 위를 맨발로 걸으며 그토록 먼지를 뒤집어쓰셨지. 함께 걸었던 아난이 석가와 함께 한 것일까? 글쎄다. 아난이 부처님으로부터 들은 얘긴 참 많았겠지.

송강스님의 벽암록 맛보기 4권
(31칙~40칙)

역해 譯解 시우 송강 時雨松江
사진 시우 송강 時雨松江

펴낸곳 도서출판 도반
펴낸이 김광호
편집 김광호, 이상미, 최명숙
대표전화 031-983-1285
이메일 dobanbooks@naver.com
홈페이지 http://dobanbooks.co.kr
주소 경기도 김포시 고촌읍 신곡리 1168번지

*이 책은 저작권법에 의해 보호를 받는 저작물이므로
무단 전재와 무단 복제를 금합니다.